1 Página
DE CADA VEZ

UM DIÁRIO *diferente*

ADAM J. KURTZ
(AINDA UM CARA QUALQUER)

TRADUÇÃO
GIU ALONSO

paralela

COPYRIGHT © 2014 BY ADAM J. KURTZ

Todos os direitos reservados, inclusive o de
reprodução total ou parcial, em qualquer meio.

A Editora Paralela é uma divisão da Editora Schwarcz S.A.

*Grafia atualizada segundo o Acordo Ortográfico da Língua Portuguesa de 1990,
que entrou em vigor no Brasil em 2009.*

TÍTULO ORIGINAL 1 Page at a Time
CAPA Adam J. Kurtz
PREPARAÇÃO Bruno Porto
REVISÃO Angela das Neves, Huendel Viana

Dados Internacionais de Catalogação na Publicação (CIP)
(Câmara Brasileira do Livro, SP, Brasil)

Kurtz, Adam J.
  1 página de cada vez : um diário diferente / Adam J. Kurtz ;
tradução Giu Alonso. — 1ª ed. — São Paulo : Paralela, 2014.

  Título original: 1 Page at a Time.
  ISBN 978-85-65530-69-9

  1. Autoajuda 2. Autoconhecimento 3. Diários 4. Encoraja-
mento (Psicologia) I. Título.

14-06629   CDD-158.1

Índice para catálogo sistemático:
1. Autoajuda : Autoconhecimento : Psicologia aplicada   158.1

24ª reimpressão

[2023]
Todos os direitos desta edição reservados à EDITORA SCHWARCZ S.A.
Rua Bandeira Paulista, 702, cj. 32 – 04532-002 – São Paulo – SP
Telefone (11) 3707-3500 – www.editoraparalela.com.br
atendimentoaoleitor@editoraparalela.com.br – facebook.com/editoraparalela
instagram.com/editoraparalela – twitter.com/editoraparalela

A marca FSC® é a garantia de que a madeira
utilizada na fabricação do papel deste livro
provém de florestas que foram gerenciadas
de maneira ambientalmente correta, social-
mente justa e economicamente viável, além
de outras fontes de origem controlada.

COMPOSIÇÃO Osmane Garcia Filho
PAPEL Pólen Natural, Suzano S.A.
IMPRESSÃO Geográfica

À MEMÓRIA DE

Blanche Davids Gewirtz

QUE ME ENSINOU A:

1. *Nunca* TER MEDO DE FAZER PERGUNTAS
2. TORNAR AS COISAS *mais doces*
3. APRECIAR AS *surpresas* DA VIDA
4. REGISTRAR *tudo*

"EU TE AMO UM TANTÃO ASSIM"

ISTO PODE SER qualquer coisa:

- ☐ UM DIÁRIO
- ☐ UMA LEMBRANÇA
- ☐ UM CALENDÁRIO
- ☐ UM AMIGO
- ☐ TODAS AS ANTERIORES

isto

é só

papel

| NOVA MENSAGEM | — |

PARA:
CC:
CCO:

ASSUNTO:

ESCREVA UM E-MAIL PARA TODOS AQUELES
QUE JÁ DUVIDARAM DE VOCÊ UM DIA...
INCLUSIVE VOCÊ MESMO!

✓ **INTRODUÇÃO COMPLETA!**
_100%_

POR FAVOR, RESERVE UM MOMENTO PARA SE REGISTRAR.

NOME:

DATA:

(CONTINUAR) (CANCELAR)

QUAIS SÃO OS SEUS OBJETIVOS PARA O ANO QUE VEM? ESCREVA ABAIXO.

PESSOAS PARA QUEM SEMPRE POSSO LIGAR

MELHOR AMIGO(A)

TEM CARRO

PAI OU MÃE

ESTÁ SEMPRE PRONTO PARA A BALADA

IRMÃO DAORA

SABE TUDO

IRMÃO MENOS DAORA

SABE O QUE INTERESSA

TIA FAVORITA

AVÔ OU AVÓ

ME DEVE UM FAVOR

MAIS 1

SELECIONE OS SENTIMENTOS COM QUE VOCÊ MAIS SE IDENTIFICA

- ☐ UAU, EU ESTOU TÃO FELIZ POR ESTAR VIVO
- ☐ EU SÓ TENHO QUE CONTINUAR ME ESFORÇANDO
- ☐ TUDO É POSSÍVEL
- ☐ AMAR É IDIOTA (MAS EU QUERIA MUITO PFVR)
- ☐ EU TENHO MEDO DA MORTE, MAS ACHO BOM QUE ELA SEJA INEVITÁVEL
- ☐ EU ME IMPORTO MAIS COM OS OUTROS DO QUE COMIGO
- ☐ A INTERNET É DEMAIS PARA MINHA CABEÇA, MAS NÃO CONSIGO PARAR
- ☐ SEJA A MUDANÇA QUE VOCÊ QUER... WHATEVER
- ☐ AS PESSOAS PODEM MUDAR (A SI MESMAS), ATÉ MESMO EU
- ☐ SE EU CONSEGUIR SUPERAR ISSO, CONSIGO SUPERAR QUALQUER COISA
- ☐ EU TENHO "1 COISA" QUE SEMPRE ME AJUDA A SEGUIR EM FRENTE
- ☐ UAU, ESSE LIVRO É MEIO INTENSO

QUE HORAS SÃO?

*
Algumas páginas são simplesmente para você, sem tarefas ou piadas.
Não tenha medo! Nem pense, só escreva ou desenhe, deixe acontecer!

APRENDA A DESENHAR

PASSO 1.
DESENHE DOIS QUADRADOS ABAIXO

PARABÉNS, VOCÊ CONSEGUIU!

SAIA DA SUA ZONA DE CONFORTO E FAÇA ALGUMA COISA QUE VOCÊ NUNCA FEZ ANTES.

GRUDE UM CARTÃO DE
VISITA NESTA PÁGINA:

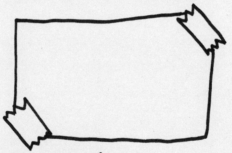

DE QUEM É?
DE ONDE É?

✶ SE NO COMEÇO VOCÊ NÃO FOR BEM-SUCEDIDO, NÃO TEM PROBLEMA. SE VOCÊ NUNCA FOR BEM-SUCEDIDO, SINCERAMENTE NÃO SEI O QUE TE DIZER.

EI!
O QUE VOCÊ
TEM FEITO
NOS ÚLTIMOS
TEMPOS?

DESCREVA UM ANIVERSÁRIO DA SUA INFÂNCIA

ESPAÇO LIVRE

* Você vai encontrar estes grandes espaços em branco durante o livro.
Às vezes simplesmente não existe um caminho óbvio. Respire fundo e tente se divertir.

O QUE VOCÊ ESTÁ APRONTANDO?

📷 COMPARTILHE ESTA PÁGINA COM #1PAGINA
PARA A GENTE DAR UMA OLHADA!

QUAL O SEU NOME?
POR QUE VOCÊ RECEBEU ESSE
   NOME, E QUEM ESCOLHEU?
O QUE SIGNIFICA?
E APELIDOS?

Se você não se sente confortável com números, uma tabela pode ajudar. Dê espaço entre eles e vá somando! Não é tão ruim se você só pensar neles de um jeito diferente. Desenhe sua primeira tabela aqui. ✶

PENSE EM ALGO QUE TE
DEIXE INSEGURO, ENTÃO ESCREVA
O QUE É EM LETRAS BEM
GRANDES. PREENCHA TODO O
ESPAÇO! DÊ UMA BOA OLHADA.
AGORA VIRE A PÁGINA.

ONDE VOCÊ ACHA QUE VAI ESTAR EM 5 ANOS? VOCÊ ESTÁ NO "CAMINHO CERTO" OU NÃO? TEM QUASE CERTEZA OU ESTÁ CHUTANDO? VOCÊ ACHA ESTA PERGUNTA MUITO HORRÍVEL E ASSUSTADORA?

> COPIE A FRASE 20 VEZES OU ATÉ APRENDER A LIÇÃO!

EU POSSO FAZER QUALQUER COISA

DESCREVA ALGUMA COISA QUE VOCÊ VIU NO CHÃO HOJE

(ONDE ESTAVA? QUEM DEIXOU AQUILO LÁ?)

MANDE UMA MENSAGEM PARA AQUELA PESSOA NOVA QUE VOCÊ CONHECEU ONTEM À NOITE.
(NÃO FIQUE NERVOSO!)

SAIA DO QUADRADO!

COMPLETE SEU CHECKLIST PARA DIAS DE DOENÇA:

- ☐ MUITO LÍQUIDO
- ☐ LENÇOS DE PAPEL
- ☐ VITAMINA C
- ☐ UM POUCO DE COMPAIXÃO
- ☐
- ☐
- ☐
- ☐
- ☐
- ☐
- ☐
- ☐

ANÚNCIOS ⓘ

PÁGINAS EM BRANCO ▾
CLIQUE AQUI PARA UM
VAZIO INCRÍVEL!

ESCREVA À VONTADE ▾
ODEIA PALAVRAS? DEIXE QUE
NÓS FAÇAMOS O TRABALHO!

PIADAS RUINS ▾
CENTENAS DE ANEDOTAS
E TROCADILHOS TERRÍVEIS
SÓ PARA VOCÊ.

PIADAS DE PAI ▾
A PIADA É IDIOTA MAS MEIO
ENGRAÇADA, E VOCÊ ADORA
O CARA.

PIADAS DE MÃE ▾
VOCÊ ACHA _MESMO_ QUE
EU ESTOU BRINCANDO?

NA PONTA DO LÁPIS ▾
VAMOS APONTAR O CAMINHO
DE QUALQUER JEITO.

DIÁRIO DE UMA PAIXÃO ▾
ESCREVA PARA NÃO ESQUECE▪
ARGH, AGORA EU COMECEI A
CHORAR.

SEU ANÚNCIO AQUI >>

* Você completou aquele checklist para dias de doença? Não sei se sou só eu, mas estou com uma coceirinha na garganta... Melhor prevenir do que remediar!

QUERIDA MAMÃE,

ESCREVA UMA CARTA PARA A SUA MÃE

ESCREVA ALGUMAS PALAVRAS DE MOTIVAÇÃO PARA VOCÊ MESMO, DEPOIS DOBRE BEM ESTA PÁGINA!

✳ Hum, essa página anterior toda dobrada parece bem interessante... RÁPIDO, PREENCHA ESTA COM ALGUMA DISTRAÇÃO!

SE DESCREVA EM
15 PALAVRAS, NUMA
FRASE OU LISTA.

TUDO QUE DEU ERRADO HOJE:

NUNCA ESQUEÇA:
VOCÊ É LITERALMENTE UMA
PEÇA. RIA DE SER UMA PEÇA
E LEMBRE-SE DE QUE TODO O
RESTO DO MUNDO TAMBÉM
É UMA.

CAIXA DO CARINHO

ENCHA ESSE QUADRADO COM VÁRIAS COISAS BOAS!

* Sabe o que mais seria legal? Uma caixa de "tô nem aí"... Um quadrado cheio de "ME DEIXA EM PAZ".

DEVOLVA AO REMETENTE

PEGUE OS ENDEREÇOS DE 3 AMIGOS DISTANTES E ESCREVA CARTÕES-POSTAIS PARA ELES ESTE ANO. DEPOIS VOLTE AQUI PARA MARCAR A TAREFA COMO FEITA!

DESCREVA COMO VOCÊ CONHECEU SEU MELHOR AMIGO

*
Vocês são BFF4EVER? Jura pela sua mãe mortinha?

COLE A CONTA DE UM RESTAURANTE NESTA PÁGINA E DESCREVA O QUE VOCÊ COMEU

O QUE EU QUERIA MESMO DIZER:

... e agora, *O QUE EU QUERIA MESMO DIZER MAS NÃO QUIS NEM DEIXAR POR ESCRITO MAS AGORA O LIVRO ESTÁ ME OBRIGANDO ENTÃO AÍ VAI QUALQUER COISA:* ✳

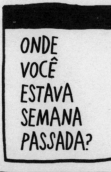

QUAL FOI A COISA MAIS DESAFIADORA PELA QUAL VOCÊ PASSOU NO ANO PASSADO?

ESTE É O SEU ESPAÇO

CRIE SUAS PRÓPRIAS MENSAGENS NOS CORAÇÕES!

CUBRA ESTA PÁGINA COM ✗
ANÚNCIOS DO TIPO POP-UP!

É SÓ PAPEL!

FAÇA UMA BOA AÇÃO PARA OUTRA PESSOA, SEM CHAMAR A ATENÇÃO. AJUDE ALGUÉM NA RUA, DEIXE UMA GORJETA MAIS GENEROSA. NÃO CONTE PARA NINGUÉM. NADA DE INFLAR SEU EGO. SÓ ANOTE A DATA AQUI EMBAIXO.

NÃO TEM DESCULPA, MAS

✱ Desenhe uma tabela, depois preencha os quadrados com grandes X para criar seu gráfico de ponto-cruz.

QUAL É O SEU MAIOR DESEJO PARA O FUTURO?

EI, VOCÊ ESTÁ ACORDADO? EU SÓ QUERIA AGRADECER.

O QUE VOCÊ FALOU FOI MUITO IMPORTANTE PRA MIM.

FLW.

PARE UM MOMENTO E OBSERVE ALGUMA COISA PEQUENA HOJE. O QUE VOCÊ VIU?

FAÇA UMA PLAYLIST PARA UMA FESTA DE ANIVERSÁRIO:

1. THE GRATES
   "19 20 20"

2.

3.

4.

5.

6.

7.

8.

PERAÍ, NÃO POSTE ISSO! ESCREVA SEU POST IRRITADO EMBAIXO, AÍ (📷 COMPARTILHE) UMA FOTO... SE É QUE VOCÊ AINDA QUER FAZER ISSO.

Não se esqueça de usar **#1PAGINA** quando compartilhar páginas deste livro para que todo mundo possa ver! ✳ Pode deixar que vou relembrar isso depois.

A GENTE JÁ CHEGOU?

☐ NÃO   ☐ NÃO   ☐ NÃO

☐ NÃO   ☐ NÃO   ☐ NÃO

☐ NÃO   ☐ NÃO   ☐ NÃO

☐ NÃO   ☐ NÃO   ☐ NÃO

☐ NÃO   ☐ NÃO   ☐ NÃO

☐ NÃO   ☐ NÃO   ☐ NÃO

☐ NÃO   ☐ NÃO   ☐ NÃO

☐ NÃO   ☐ NÃO   ☐ NÃO

☐ NÃO   ☐ NÃO   ☐ SIM

* *Se dê de presente uma soneca!* *

* ARGH, SÓ MAIS CINCO MINUTINHOS, POR FAVOR! Por que eu sempre fico de mau humor depois de uma soneca?

♡ EU CURTI ISSO

♡ EU CURTI ISSO

♡ EU CURTI ISSO   ♡ EU CURTI ISSO

♡ EU CURTI ISSO   ♡ EU CURTI ISSO

♡ EU CURTI ISSO   ♡ EU CURTI ISSO

RESPIRE FUNDO E
CONTE ATÉ 10, REPITA

~~||||~~ ~~||||~~

Respirar parece uma coisa óbvia, mas você não está se sentindo melhor agora? Respire fundo mais uma vez, inspire bem profundamente pelo nariz, e sinta o peito subir. Segure a respiração por alguns segundos, depois solte o ar superdevagar. O.k., então vamos continuar. ✳

VOCÊ CONSEGUE!
(DEPENDENDO DO
QUE FOR)

DESENHE UMA CARTEIRA DE IDENTIDADE PARA SI MESMO. QUE INFORMAÇÕES ESTÃO NELA? O QUE IMPORTA?

IDADE? ALTURA? VOCÊ ESTÁ SORRINDO NA FOTO OU NÃO?

EMPREGOS DOS SONHOS:

~~TIRADOR DE SONECA~~ ~~DEGUSTADOR DE DOCES~~

É SÓ PAPEL!
COM CUIDADO, CORTE
ESTA PÁGINA EM UMA
FITA BEM LONGA. OU NÃO!

LIGUE OS PONTOS EM QUALQUER ORDEM:

O QUE VOCÊ VÊ?

✱ Desenhe os seus próprios pontos aleatórios e faça a brincadeira anterior de novo!

LISTE 5 AMIGOS QUE VOCÊ ACHA QUE VAI TER PARA SEMPRE:

1 _____

2 _____

3 _____

4 _____

5 _____

COLE UMA PASSAGEM DE
ÔNIBUS, TREM OU AVIÃO
NESTA PÁGINA:
(AONDE VOCÊ VAI? POR QUÊ?)

COMO EU ESTOU ME SENTINDO

- ☐ TUDO ESTÁ UMA BOSTA
- ☐ ALGUMAS COISAS ESTÃO UMA BOSTA
- ☐ ALGUMAS VEZES EU ESTOU UMA BOSTA
- ☐ ALGUMAS VEZES TODO O RESTO DO MUNDO ESTÁ UMA BOSTA
- ☐ NADA NUNCA ESTÁ UMA BOSTA!
- ☐ TUDO ÀS VEZES ESTÁ UMA BOSTA
- ☐ BOSTA!

📷 COMPARTILHAR #1PAGINA

ESCREVA UM SEGREDO
NO ESCURO!

EI!
O QUE
VOCÊ VAI
FAZER
HOJE?

COMPLETE A FRASE ATÉ A PÁGINA FICAR CHEIA:

SE EU POSSO FAZER _____, POSSO FAZER QUALQUER COISA.

APRECIE O DESCONHECIDO

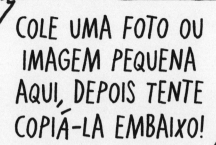

QUANDO A VIDA FECHA UMA
PORTA, ELA ABRE UMA JANELA.
MAS SE A PORTA NÃO ESTIVER
TRANCADA, NÃO TEM MOTIVO
PARA VOCÊ SIMPLESMENTE NÃO
ABRI-LA SOZINHO, CERTO?

http:// | AONDE VOCÊ ESTÁ INDO? | IR

ESCREVA EM LETRAS BEM GRANDES

Essas páginas em branco são as melhores! Nem sempre você pode gritar em público, mas com certeza pode berrar aqui. *

✱ Desenhe uma tabela. Você consegue escrever uma palavrinha em cada quadrado? Consegue escrever uma história que caiba certinho?

DESENHE SUA CASA DOS SONHOS
(OU APARTAMENTO! OU CASTELO!)

É SÓ PAPEL!
DESENHE UM POUCO DE SAL, E AÍ
JOGUE POR CIMA DO OMBRO
PARA DAR SORTE.

PARE UM MOMENTO EM UMA PASSARELA E CONTE OS CARROS PASSANDO A TODA LÁ EMBAIXO. COMO ISSO FAZ VOCÊ SE SENTIR?

FAÇA UMA PLAYLIST PARA SAIR PARA CORRER:

1. WEEKENDS
   "RAINGIRLS"

2.

3.

4.

5.

6.

7.

8.

PLANOS DE VIAGEM: QUAL ATRAÇÃO TURÍSTICA VOCÊ MAIS QUER CONHECER?

LANCHINHOS:

- ☐ PÃO DE QUEIJO
- ☐ SORVETE
- ☐ CUPCAKE
- ☐ OUTRO CUPCAKE
- ☐ ALCAÇUZ
- ☐ BARRA DE CHOCOLATE
- ☐ NACHOS
- ☐ NACHOS COM CHEDDAR
- ☐ ~~PALITINHOS DE CENOURA~~
- ☐ BOLO DE ANIVERSÁRIO
- ☐ JUJUBAS
- ☐ 3 COOKIES
- ☐ MAIS 1 CUPCAKE
- ☐ CARAMELOS

GUARDE ALGUNS SENTIMENTOS NOS POTES. DESENHE MAIS POTES. VOCÊ PODERÁ USÁ-LOS NO INVERNO!

ESCREVA ALGUMAS PALAVRAS DE APOIO PARA UM DIA RUIM. (O QUE VOCÊ FAZ QUANDO A VIDA LHE DÁ LIMÕES?)

VOCÊ ACREDITA EM ALMAS GÊMEAS? A SUA ESTÁ POR AÍ? TEMOS MÚLTIPLAS ESCOLHAS? ESCREVA UM RECADO PARA A SUA, ONDE QUER QUE ELA ESTEJA!

ESCREVA TUDO O QUE ESTÁ INCOMODANDO VOCÊ, DEPOIS SIMPLESMENTE VIRE A PÁGINA

CHECK-IN TRIMESTRAL

PENSE NOS ÚLTIMOS 3 MESES E DÊ UMA NOTA A
SI MESMO DE ACORDO COM A ESCALA DE SMILEYS.

TÁ NA CARA > ☺ BOM   ☻ MAIS OU MENOS   ☹ RUIM

PERSPECTIVA GERAL ○	CRESCIMENTO PESSOAL ○	SAÚDE FÍSICA ○
PLANEJAMENTO PRÉVIO ○	CUIDAR DE VOCÊ MESMO ○	COMER BEM ○
HÁBITOS DE SONO ○	SER INCRÍVEL ○	SAÚDE MENTAL ○
CRIATIVIDADE DIÁRIA ○	BONDADE ○	LIGAR PARA CASA ○
TRABALHO DURO ○	SE DIVERTIR ○	SER UM BOM AMIGO ○
FICAR CALMO ○	SER ESFORÇADO ○	APROVEITAR SEU ESPAÇO ○
GANHAR DINHEIRO ○	SAIR DE CASA ○	AQUELA COISA ○
SE SENTIR BEM ○	TWEETS ENGRAÇADOS ○	SENTIDO DA VIDA ○

SENTE NO CHÃO NA
HORA DO BANHO. SÓ ISSO.

ANÔNIMO PERGUNTOU:
EU TE ODEIO VC É FEIO BRINKS VC EH SUPERFOFO QL EH O SEU SEGREDO DE BLZ?

NOMES PARA FUTUROS ANIMAIS DE ESTIMAÇÃO:

✱ ACONTEÇA O QUE ACONTECER, SEMPRE HAVERÁ PIZZA.

ESCREVA UMA FRASE INSPIRADORA ABAIXO, DEPOIS COMPARTILHE NA INTERNET COM OS SEUS AMIGOS!

📷 COMPARTILHAR #1PAGINA

DESENHE UM BOLO COM VÁRIAS CAMADAS,
DEPOIS DESCREVA CADA UMA DELAS

*

Mas que bolo gigante! Talvez seja melhor desenhar uma salada aqui do lado, ou pelo menos um salsão ou alguma coisa assim.

DÊ ESTA PÁGINA PARA UM AMIGO

ESCREVA AQUELA COISA COM QUE
VOCÊ PROMETEU QUE NÃO FARIA
MAIS PIADA, MAS QUE AINDA É
ABSURDAMENTE ENGRAÇADA.

ESCREVA UMA CARTA PARA O SEU EU DE DAQUI A SEIS MESES

Legal, agora escreva uma carta para o seu eu de daqui a três minutos!

✳

VOCÊ
ESTÁ LEGAL?

OI?

FAÇA UMA LISTA DE TUDO QUE VOCÊ
SE LEMBRA DE TER MEDO, DEPOIS
RISQUE AS COISAS QUE JÁ SUPEROU!

ARANHAS

~~ADOLESCENTES~~

~~O ESCURO~~

MÚMIAS

NÃO HÁ NADA NO SEU CAMINHO

VISTA UMA PEÇA DE
ROUPA DO AVESSO
HOJE, DEPOIS ME
CONTE COMO FOI:

DESENHE SEU VÍDEO VIRAL

Eu não queria dizer nada mas você está escrevendo com muita força. Dá para relaxar, por favor? ✳

ESCREVA EM LETRAS BEM GRANDES

PREENCHA TODO O ESPAÇO.
DÊ UMA BOA OLHADA.
AGORA VIRE A PÁGINA.

ALIÁS, FELICIDADE É UM LUGAR? SERÁ QUE VOCÊ "CHEGA LÁ" EM ALGUM MOMENTO, OU É MAIS UMA PERSPECTIVA DE VIDA E DE CRESCIMENTO?

SÓ ESCREVA O SEU NOME.
SÓ ESTEJA AQUI NESTE MOMENTO.
SÓ ISSO.

VÁ DAR UMA VOLTA E BEBER
UM CAFÉ OU CHÁ.
SENTE AO AR LIVRE. DESCREVA
3 PESSOAS QUE VOCÊ VIU.

O QUE VOCÊ ESTÁ

ÁGUA RDANDO?

APARENTEMENTE
* NINGUÉM PERCEBEU,
NÃO SE PREOCUPE!

COISAS A FAZER:

- ☐ FAZER UMA LISTA
- ☐ TICAR OS 2 PRIMEIROS ITENS

* Se dê de presente uma sessão de cinema! *

✱ A que filme você assistiu? Cole o ingresso nesta página e me conte tudo!

FIQUE PARADO POR 1 MINUTO. FECHE OS OLHOS E INSPIRE E EXPIRE BEM DEVAGAR. SE CONCENTRE NO TAMANHO DO SEU CORPO EM RELAÇÃO AO ESPAÇO. NÃO, TIPO O ESPAÇO SIDERAL. MIE COMO UM CACHORRO. AU! PIPOCA. FERRADURA. O QUE ESTÁ ACONTECENDO AGORA? CERTO, AGORA ABRA OS OLHOS.

COLE UMA PÁGINA DE OUTRO LIVRO
OU CADERNO NESTA PÁGINA
(EU ME SINTO SOZINHO ÀS VEZES)

VÁ PARA A CAMA

VOCÊ É UMA ESTRELA! PROVAVELMENTE.
QUAL SERIA O TÍTULO DO FILME SOBRE
A SUA VIDA?
QUE ATOR INTERPRETARIA VOCÊ?
DESENHE O PÔSTER DO FILME!

OITO MELHORES PEDAÇOS DE PIZZA

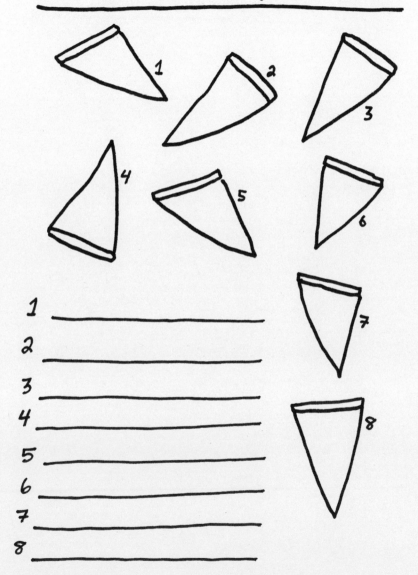

1. _____
2. _____
3. _____
4. _____
5. _____
6. _____
7. _____
8. _____

DIGA ALGUMAS COISAS QUE DÁ PARA COMPRAR COM R$1:

DIGA ALGUMAS COISAS QUE NÃO DÁ PARA COMPRAR:

* Você já ganhou uma festa surpresa? Me conte tudo, estou com inveja!

DESENHE UMA ESCADA
(CUIDADO ONDE PISA)

DÊ ESTA PÁGINA PARA UM AMIGO

ESCREVA UM RECADO
PARA VOCÊS NO FUTURO.

O QUE VOCÊ QUERIA SER
"QUANDO VOCÊ CRESCESSE"?
O QUE VOCÊ ACHA DISSO AGORA?

NOVA MENSAGEM	—

PARA: VOCÊ
CC: TODO MUNDO
CCO: EU

ASSUNTO:

ESCREVA UM E-MAIL PARA TODO MUNDO
QUE JÁ DUVIDOU DE VOCÊ...
INCLUSIVE VOCÊ MESMO!

Você já escreveu um e-mail, salvou mas não enviou? Às vezes você só precisa escrever. Use esta página para colocar no papel alguma coisa que você simplesmente precisa tirar da cabeça.

✳

EI,
O QUE
A GENTE
VAI FAZER

HOJE À NOITE?

COLE ALGUMA COISA BRILHANTE
NESTA PÁGINA.
DE ONDE É?

ABRA ESPAÇO PARA SI MESMO

VOCÊ CONSEGUIRIA FAZER ISSO COM OS OLHOS FECHADOS!

RT DEPOIS DE MIM:
EU POSSO FAZER QUALQUER COISA
#1PAGINA

    84 TWEET

DÊ ESTA PÁGINA PARA UM AMIGO

NÃO FAÇAM NADA.
SENTEM E CONVERSEM POR HORAS.
ESSA É A MELHOR PARTE DE
TER AMIGOS.

Desenhe uma tabela. Ou faça o que você quiser! Abrace a estrutura ou lute contra o sistema. ✳
Faça suas próprias regras! YEAH!

CADA RELAÇÃO ROMÂNTICA NOS
ENSINA ALGO QUE QUEREMOS OU DE QUE
PRECISAMOS EM UM PARCEIRO. O QUE
VOCÊ APRENDEU ATÉ HOJE?

Shhh...

DESENHE UM SINAL DE "NÃO PERTURBE" O MAIS ESPECÍFICO POSSÍVEL

FIQUE SENTADO EM ALGUM
LUGAR POR DEZ MINUTOS E
DESENHE O QUE OBSERVAR.

FAÇA UMA PLAYLIST PARA SE VINGAR:

1. MICHELLE BRANCH "ARE YOU HAPPY NOW?"

2.

3.

4.

5.

6.

7.

8.

PLANOS DE VIAGEM: PLANEJE UM FIM DE SEMANA PARA FUGIR DE TUDO (E VÁ!)

LISTA DE COISAS A FAZER NA INTERNET:

- [ ] CHECAR E-MAIL
- [ ] CHECAR NOTIFICAÇÕES
- [ ] ESCREVER UMA POSTAGEM
- [ ] PROCURAR NOTÍCIAS
- [ ] TWEETAR
- [ ] LER O BLOG FAVORITO
- [ ] CHECAR E-MAIL
- [ ] DAR UMA OLHADA NA LOJA FAVORITA
- [ ] LER BLOG DE UM AMIGO
- [ ] ESCREVER UMA POSTAGEM SOBRE O BLOG
- [ ] PROCURAR SEU NOME NA INTERNET
- [ ] JOGAR UM JOGO
- [ ] VER UM VÍDEO
- [ ] DUAS VEZES
- [ ] OMG
- [ ] CHECAR E-MAIL DE NOVO
- [ ] TROCAR MENSAGENS COM A SUA MÃE
- [ ] SAIR DO COMPUTADOR
- [ ] PEGAR O CELULAR

*Se dê de presente um dia de folga

* ALÔ? TEM ALGUÉM AÍ? PALAVRAS? DESENHOS? CADÊ VOCÊS, PESSOAL? ALÔ? O QUE ESTÁ ACONTECENDO COMIGO?!

QUEM É AQUELA PESSOA COM QUEM
VOCÊ SEMPRE PODE CONTAR? ANOTE
O NÚMERO DE TELEFONE DELA.
ENDEREÇO. E-MAIL. ANIVERSÁRIO.
NÃO DEIXE ESSA PESSOA SE AFASTAR.
CONTE A ELA O QUANTO ELA
SIGNIFICA PARA VOCÊ.

É SÓ PAPEL!
RASGUE ESTA PÁGINA
AO MEIO.

Você está rasgando esta página ao meio, certo? *

AS COISAS PODEM NÃO ESTAR BOAS HOJE OU AMANHÃ, MAS A GENTE VAI CONSEGUIR, 1 PÁGINA DE CADA VEZ, ENTÃO AGUENTE FIRME!

CLIQUE PARA CONTINUAR

www.EUMESMO.COM

SOBRE MIM:

QUEM EU GOSTARIA DE CONHECER:

📷 COMPARTILHAR #1PAGINA

10 COISAS EM QUE EU SOU MUITO BOM:

1. FAZER LISTAS
2.
3.
4.
5.
6.
7.
8.
9.
10.

* NÃO ESQUEÇA QUE AMANHÃ É
LITERALMENTE DAQUI A 1 DIA.

ESCREVA UM CONSELHO HORRÍVEL, E AÍ PRATIQUE IGNORÁ-LO.

Você notou que eu adoro doces? Você tem alguma sobremesa aí? ✳

ESCREVA EM LETRAS BEM GRANDES

VOCÊ ESTÁ ANIMADO PARA QUÊ?

ESTE LIVRO ⇄ 32 PÁGINAS ATRÁS

DESENHE UMA ESCADA
(CUIDADO ONDE PISA)

COLE UM PARÁGRAFO DE
UM JORNAL NESTA PÁGINA.
RISQUE AS PARTES DE QUE
VOCÊ NÃO GOSTA.

ESCREVA UMA CARTA PARA UMA CRIANÇA DE 7 ANOS. ESCOLHA AS PALAVRAS COM CUIDADO!

SENTE EM UM AEROPORTO, ESTAÇÃO DE TREM OU PONTO DE ÔNIBUS. OBSERVE AS PESSOAS INDO E VINDO. PARA ONDE ELAS ESTÃO INDO?

E AÍ, CARA,
O QUE
ESTÁ
HAVENDO?

ESTÁ TENDO UM DIA RUIM?
PROVAVELMENTE NÃO É SÓ VOCÊ.
(📷 COMPARTILHE) UM PENSAMENTO POSITIVO
COM #1PAGINA E
ANIME TODOS NÓS!

ISTO PODERIA SER QUALQUER COISA

Sempre que você sentir que ninguém entende você, lembre-se de que provavelmente é porque você é muito esquisito. Aí bata suas enormes asas e voe ao pôr do sol. Pouse na montanha perto da sua caverna. Solte fogo para o céu, depois deite para cuidar dos seus ovos. PERAÍ, VOCÊ É UM DRAGÃO? Que. Maneiro.

*

ESCREVA ALGO EM MAIÚSCULAS
E DEPOIS APERTE

RESPONDER A TODOS

DÊ ESTA PÁGINA PARA UM AMIGO

ESCREVA SOBRE UMA MEMÓRIA OU EXPERIÊNCIA QUERIDA DE VOCÊS.

DEIXE PEQUENOS BILHETES DE ENCORAJAMENTO EM LUGARES PÚBLICOS DIFERENTES

VOCÊ ESTÁ INDO MUITO BEM, SÉRIO! VIVA VOCÊ!

ISTO PODE SER AQUILO PELO QUE VOCÊ ESTAVA ESPERANDO.

HOJE É O DIA EM QUE VOCÊ FINALMENTE VAI CUIDAR DE SI MESMO!

PARECE QUE ESTE É O COMEÇO DE ALGO MUITO BOM!

@CUTIE82_ASPX3   21h
UAU Q LOUCURA OMG É VC NESTE VÍDEO?
blt.ly/xp94a6zzQ

💬 VER   ← RESPONDER   ✱ FAVORITO ...MAIS

COPIE A FRASE 20 VEZES OU
ATÉ APRENDER A LIÇÃO!

EU SOU MUITO RETUITÁVEL

É SÓ PAPEL!

ESCREVA UM BILHETE EM UMA NOTA DE 1 REAL E COLE NESTA PÁGINA.

O QUANTO ELA "VALE" AGORA?

TIQUE AS HORAS CONFORME ELAS FOREM PASSANDO:

- ☐ 0h
- ☐ 1h
- ☐ 2h
- ☐ 3h
- ☐ 4h
- ☐ 5h
- ☐ 6h
- ☐ 7h
- ☐ 8h
- ☐ 9h
- ☐ 10h
- ☐ 11h

- ☐ 12h
- ☐ 13h
- ☐ 14h
- ☐ 15h
- ☐ 16h
- ☐ 17h
- ☐ 18h
- ☐ 19h
- ☐ 20h
- ☐ 21h
- ☐ 22h
- ☐ 23h

CERTO, JÁ É AMANHÃ!

NA MAIOR PARTE DO TEMPO
NÓS SABEMOS EXATAMENTE
O QUE PRECISAMOS OUVIR.

ENTÃO O QUE ESTÁ
ACONTECENDO? ESCREVA OS
FATOS, AÍ OS ENCARE!

*

Você já recebeu uma massagem profissional? É uma das melhores coisas do mundo, sério. Faça uma quando estiver bem sobrecarregado... Seu corpo merece, eu juro!

DESENHE UM RETRATO DE FAMÍLIA!

* VOCÊ CONSEGUE (PROVAVELMENTE)

CHECK-IN TRIMESTRAL

PENSE NOS ÚLTIMOS 3 MESES E DÊ UMA NOTA A
SI MESMO DE ACORDO COM A ESCALA DE SMILEYS.

TÁ NA CARA > BOM MAIS OU MENOS RUIM

PERSPECTIVA GERAL ◯	CRESCIMENTO PESSOAL ◯	SAÚDE FÍSICA ◯
PLANEJAMENTO PRÉVIO ◯	CUIDAR DE VOCÊ MESMO ◯	COMER BEM ◯
HÁBITOS DE SONO ◯	SER INCRÍVEL ◯	SAÚDE MENTAL ◯
CRIATIVIDADE DIÁRIA ◯	BONDADE ◯	LIGAR PARA CASA ◯
TRABALHO DURO ◯	SE DIVERTIR ◯	SER UM BOM AMIGO ◯
FICAR CALMO ◯	SER ESFORÇADO ◯	APROVEITAR SEU ESPAÇO ◯
GANHAR DINHEIRO ◯	SAIR DE CASA ◯	AQUELA COISA ◯
SE SENTIR BEM ◯	TWEETS ENGRAÇADOS ◯	SENTIDO DA VIDA ◯

VOCÊ PODE VIVER PARA SEMPRE, MAS CASO ISSO NÃO ACONTEÇA, O QUE A SUA LÁPIDE VAI DIZER?

LISTE **5** LUGARES EM QUE VOCÊ PREFERIA ESTAR AGORA:

1 _____

2 _____

3 _____

4 _____

5 _____

E POR QUÊ?

É SÓ PAPEL! QUEM
SE IMPORTA, CARA?

CONSTRUA O SANDUÍCHE PERFEITO

(MIGALHAS FAZEM PARTE DA VIDA.
O SANDUÍCHE AINDA É PERFEITO!)

DESENHE UM TROFÉU OU OUTRO PRÊMIO PARA VOCÊ.

NOSSA, É ENORME, VOCÊ DEVE SER MUITO IMPORTANTE!

CONCURSO DE COMER CACHORRO-QUENTE

DESENHE O MAIOR NÚMERO DE CACHORROS-QUENTES QUE VOCÊ CONSEGUIR EM CINCO MINUTOS. PRONTO? JÁ!

DÊ ESTA PÁGINA PARA UM AMIGO

POR QUE NÓS SOMOS AMIGOS?
O QUE FAZ A GENTE SER TÃO
INCRÍVEL JUNTO? (PODE SER
BEM BREGA, TUDO BEM!)

COLE UMA FOTO QUE VOCÊ AME NESTA PÁGINA. VOCÊ PODE CORTÁ-LA SE FOR GRANDE DEMAIS!

VOLTE PARA UMA PÁGINA QUE VOCÊ DEIXOU EM BRANCO E TENTE DE NOVO!

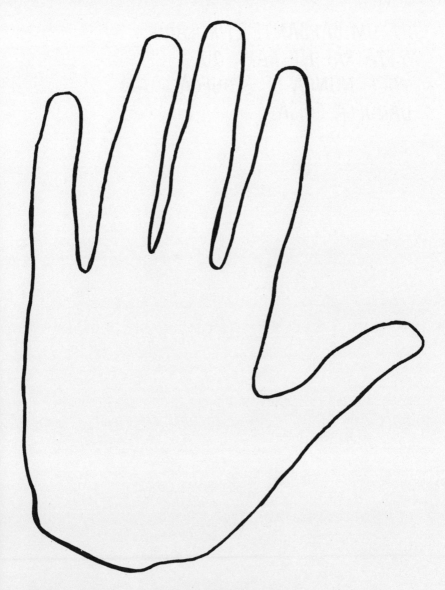

TOQUE AQUI, SE DÊ UM TAPINHA NAS COSTAS, DÊ UM ALÔ PARA UM AMIGO, OU DESENHE A SUA MÃO DENTRO DA MINHA.

COLE UM BARBANTE ENROLADO
NESTA PÁGINA PARA QUE
VOCÊ NUNCA SE ESQUEÇA
DAQUELA COISA.

EI,
VOCÊ
ESTÁ
SE SENTINDO
BEM?

FECHE OS OLHOS —
NÃO HÁ NADA PARA VER AQUI
E ESSA É A IDEIA

1. DESENHE UMA BELA MOLDURA
2. NÃO COLOQUE NADA NELA
3. BOM TRABALHO

SÓ FIQUE QUIETO

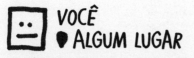

VOCÊ
♥ ALGUM LUGAR   ⏱ 28m

DESENHE SEU ALMOÇO OU
O CÉU OU QUALQUER COISA

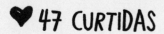

♥ 47 CURTIDAS

ESCREVA EM LETRAS BEM GRANDES

QUEM É O MELHOR?
(DICA: É VOCÊ)

QUAIS SÃO SEUS OBJETIVOS PARA O RESTANTE DO ANO?

COPIE A FRASE 20 VEZES
OU ATÉ APRENDER A LIÇÃO!

EU VOU FAZER AQUILO

DÊ ESTA PÁGINA PARA UM ESTRANHO

ISSO É ESQUISITO? NÃO SE PREOCUPE, É "TUDO PELA ARTE".
A CULPA É MINHA, EU SOU UM DIÁRIO MUITO INSISTENTE.

FAÇA UM DESENHO RÁPIDO DA
PESSOA QUE TE ENTREGOU ISTO.

FAÇA UMA PLAYLIST
COM ÓTIMOS COVERS:

1. WHEN SAINTS GO MACHINE
"BITTERSWEET SYMPHONY"

2.

3.

4.

5.

6.

7.

8.

COMO: DESENHAR UM RETÂNGULO

1. TENTE DESENHAR UM QUADRADO
2. BOM TRABALHO!

📷 COMPARTILHAR #1PAGINA

SENTIMENTOS QUE EU SENTI

- ☐ TRISTEZA
- ☐ NERVOSISMO
- ☐ ANIMAÇÃO
- ☐ BONDADE
- ☐ MALDADE
- ☐ INVEJA
- ☐ ORGULHO
- ☐ IRRITAÇÃO
- ☐ ALEGRIA
- ☐ ESTRESSE
- ☐ CANSAÇO
- ☐ TÉDIO
- ☐ APATIA
- ☐ PATETICE
- ☐ FELICIDADE
- ☐ FRENESI
- ☐ LENTIDÃO
- ☐ LENTIDÃO MÁXIMA
- ☐ AMOR
- ☐ CERTEZA

* *Se dê de presente aquela coisa!* *

NOVA MENSAGEM	
PARA:	
CC:	
CCO:	
ASSUNTO:	

TIRE UM DIA DE FOLGA!
MANDE UM E-MAIL PARA O SEU CHEFE COM UMA DESCULPA.

ESCREVA ALGO #VÁLIDO, AÍ
#ESTRAGUE TUDO COM #HASHTAGS.

É SÓ PAPEL!
CORTE ESTA PÁGINA EM TIRAS
E FAÇA UMA CORRENTE.

Se você desenhar uma estampa neste lado da página, sua corrente de papel vai ficar muito mais legal! Talvez algo para cobrir esta frase irritante. Eu nem sei por que coloquei isto aqui. ✳

COMO EU F

PESQUISAR

COMO EU FAÇO TORRADAS?
COMO EU FAÇO UMA PIADA?
COMO EU FALO COM ALIENÍGENAS?
COMO EU FALO COM CARAS LEGAIS?
COMO EU FAÇO ESSA PEDRA SAIR DAQUI?

SE VOCÊ PUDESSE BATIZAR UM SANDUÍCHE, COMO ELE SE CHAMARIA? QUAIS SERIAM OS INGREDIENTES? POR QUE VOCÊ ESTÁ RECEBENDO ESSA HONRA?

LISTE <u>10</u> COISAS QUE FAZEM VOCÊ FELIZ:

1. _____

2. _____

3. _____

4. _____

5. _____

6. _____

7. _____

8. _____

9. _____

10. _____

✳ EU SOU SÓ UM LIVRO, MAS
ACREDITO EM VOCÊ

DESCREVA SEU ENCONTRO IDEAL

~~UMA SONECA DE 10 HORAS, SOZINHO~~

~~WI FI DE GRAÇA~~

* Por que estou tão cansado hoje?

ZONA DE CONFORTO:

ENCHA O TRAVESSEIRO COM COISAS QUE FAZEM VOCÊ SE SENTIR BEM!

DÊ ESTA PÁGINA PARA UM AMIGO

DESENHE NÓS DOIS DAQUI A 30 ANOS (SEM MISERICÓRDIA!)

COLE UMA FOLHINHA NESTA PÁGINA. AI, SERÁ QUE ISSO É OFENSIVO PARA AS ÁRVORES?

ENCONTRE UMA
MANEIRA DE CONTAR
UM SEGREDO EM UM
CARTÃO-POSTAL...
LEMBRE-SE DE
QUE TODO MUNDO
PODE VER!

ISSO FOI MUITO DAORA!

QUAL ERA
AQUELA MÚSICA
DE QUE VOCÊ
ESTAVA ME
FALANDO?

O QUE VOCÊ JÁ COLECIONOU?

FIGURINHAS? CARTAS? MEIAS?
LISTE OU DESENHE ABAIXO!

Falando em coleções, há 8 copos d'água escondidos neste livro. Você consegue encontrar todos eles? *

A ÚNICA COISA AQUI É VOCÊ

PENSE DO
LADO DE
FORA DO
QUADRADO
(CITAÇÃO FAMOSA)

DESENHE ALGUMA COISA
HORRÍVEL QUE VOCÊ
NÃO PODE DESFAZER

ÀS VEZES SER UM LIVRO É
SOLITÁRIO... SE VOCÊ MERECEU,
NOS DÊ DE PRESENTE UMA
CANETA OU UM LÁPIS NOVO!

QUERO VER SANGUE

(NÃO LITERALMENTE!)

Conte de 1 a 100. Agora até 200. Conte até a página estar coberta!

Deixe uma gorjeta gorda!

5974774

VIA DO CLIENTE

| DATA | | | TAXA | VALOR |
| QNT | CLASS | DESCRIÇÃO | | PREÇO |

AUTO

REG

SUBTOTAL

IMPOSTO

GORJETA

ATENDENTE GARÇOM

DATA

REF

CONTA Nº

RECIBO DE VENDA

TOTAL

IMPORTANTE: GUARDE ESTA CÓPIA

4249 1738 2917 0344
Venc. 11/17

ASSINATURA DO CLIENTE

X

VÁ PARA UM PARQUE.
ECA, NATUREZA!
TEM WI-FI AQUI?
DESENHE A MELHOR ÁRVORE.

FAÇA UMA PLAYLIST PARA CHORAR:

1. THE ANTLERS "I DON'T WANT LOVE"

2.

3.

4.

5.

6.

7.

8.

PREENCHA TODO ESTE ESPAÇO. DÊ UMA BOA OLHADA. AGORA SIGA EM FRENTE.

DESENHE OU ESCREVA "DEBAIXO D'ÁGUA" FAZENDO TUDO TREMIDO. QUEM SABE UM PEIXE, TAMBÉM.

* *Se dê de presente um café ou chá!* *

TENTE COMEÇAR A
ESCREVER ALGUMA COISA
SEM SABER COMO VAI
ACABAR OU MESMO SE
É UMA FRASE.

É SÓ PAPEL! CORTE ESTA PÁGINA NO FORMATO DE UMA COROA.

VOCÊ CONSEGUIU! PARABÉNS!
ESCREVA UM RELEASE DE
IMPRENSA PARA ANUNCIAR
SEU GRANDE FEITO:

LISTE **8** COISAS DAS QUAIS VOCÊ TEM MEDO:

1 _____

2 _____

3 _____

4 _____

5 _____

6 _____

7 _____

8 _____

✱A VIDA É UM EMPREGO EM TEMPO INTEGRAL

COMO VOCÊ ESTÁ SE SENTINDO HOJE?
QUAL A RAIZ DESSE SENTIMENTO?

DÊ ESTA PÁGINA PARA UM AMIGO

ESCREVA UM SEGREDO. DEVOLVA O LIVRO.
ABSORVA A INFORMAÇÃO E ENTÃO
APAGUE. NUNCA MAIS FALE SOBRE ISSO.

O QUE TEM NA SUA MOCHILA?
DESENHE SUA MOCHILA E TODAS
AS SUAS COISAS!

COLE UM PACOTE DE AÇÚCAR VAZIO NESTA PÁGINA. VALEU, DOÇURA!

Uau! Aposto que você nem notou que está na página 259! Qual foi a sua favorita até agora? Você já completou 258 tarefas, então se dê os parabéns, e se prepare para continuar. Estou com você até o fim! ✲

O QUE
ACONTECEU
ONTEM
À NOITE?

*** o.k..!

TUDO BEM ESTAR ABERTO

📷 COMPARTILHE ESTA PÁGINA COM #1PAGINA PARA QUE A GENTE POSSA COMEMORAR COM VOCÊ!

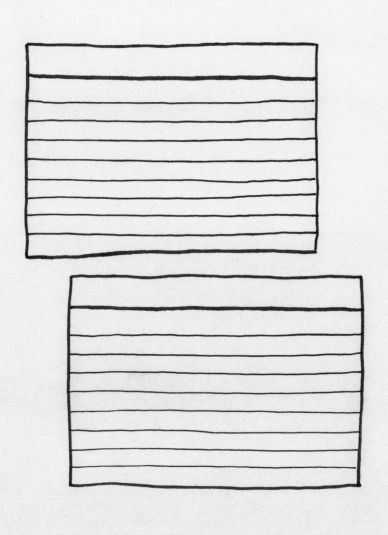

ÀS VEZES CEGO, ÀS
VEZES AFIADO, COM
POTENCIAL INFINITO
MAS NÃO PERMANENTE,
E ESSA É A IDEIA.

ESCREVA EM LETRAS BEM GRANDES

*
GRITE! GRITE! GRITE!

Desenhe uma tabela, depois tique cada quadrado como uma pequena realização.
Isso é tão bom! Veja quanta coisa você já fez!

(OMG, NÃO ACREDITO QUE ESCREVI ISSO NUM LIVRO!)

TALVEZ VOCÊ DEVESSE TER
FÉ EM ALGO INTANGÍVEL
SÓ POR VIA DAS DÚVIDAS.

VÁ AO MERCADO. O QUE VOCÊ ESTÁ VENDO? ESPIE OS CARRINHOS. O QUE VOCÊ ACHA QUE VÃO COMER NO JANTAR? QUEM COMPRA MAIS SALGADINHOS?

FAÇA UMA PLAYLIST PARA O AMOR VERDADEIRO:

1. LIANNE LA HAVAS
   "EVERYTHING EVERYTHING"

2.

3.

4.

5.

6.

7.

8.

ATUALIZAR STATUS

O QUE VOCÊ ESTÁ PENSANDO?

COMPARTILHAR #1PAGINA

CHECKLIST DO VERÃO

- [ ] PICOLÉ
- [ ] PRAIA
- [ ] PIQUENIQUE
- [ ] ÁGUA DE COCO
- [ ] A MÚSICA DO VERÃO
- [ ] SUCO
- [ ] PASSEIOS
- [ ] HAVAIANAS
- [ ] CABELO CURTO

- [ ] BRONZEADO
- [ ] CANGA
- [ ] MATE
- [ ] PISCINA
- [ ] BERMUDA
- [ ] NOITES ESTRELADAS
- [ ] AMOR DE VERÃO
- [ ] MAIS PRAIA
- [ ] SONECA PÓS-PRAIA

FAVORITOS

CIRCULE UM

VERMELHO
AZUL

CHOCOLATE
BAUNILHA

QUENTE
FRIO

DIA
NOITE

CAFÉ
CHÁ

MÃE
PAI   ← BRINCADEIRA

CANETA
LÁPIS

CALÇAS
SHORTS

ONTEM
AMANHÃ

MENINOS
MENINAS

KETCHUP
MOSTARDA

GATOS
CACHORROS

Às vezes parece que não há uma boa opção.
Não esqueça, você sempre pode escolher outra coisa. Ou mudar a pergunta! Ou não responder! Você está no controle. *

✱ Agora desenhe os seus favoritos da página anterior!

ESCREVA UM BILHETE PARA ALGUÉM QUE VOCÊ NÃO CONHECE

RIR É O MELHOR REMÉDIO, MAS SABE O QUE MAIS FUNCIONA? REMÉDIOS DE VERDADE. SE VOCÊ NÃO ESTÁ SE SENTINDO BEM, VÁ AO MÉDICO! POR ENQUANTO, ESCREVA ALGUMAS PIADAS PARA A SALA DE ESPERA.

CHECK-IN TRIMESTRAL

PENSE NOS ÚLTIMOS 3 MESES E DÊ UMA NOTA A
SI MESMO DE ACORDO COM A ESCALA DE SMILEYS.

TÁ NA CARA > ☺ BOM ☺ MAIS OU MENOS ☹ RUIM

PERSPECTIVA GERAL	○	CRESCIMENTO PESSOAL	○	SAÚDE FÍSICA	○
PLANEJAMENTO PRÉVIO	○	CUIDAR DE VOCÊ MESMO	○	COMER BEM	○
HÁBITOS DE SONO	○	SER INCRÍVEL	○	SAÚDE MENTAL	○
CRIATIVIDADE DIÁRIA	○	BONDADE	○	LIGAR PARA CASA	○
TRABALHO DURO	○	SE DIVERTIR	○	SER UM BOM AMIGO	○
FICAR CALMO	○	SER ESFORÇADO	○	APROVEITAR SEU ESPAÇO	○
GANHAR DINHEIRO	○	SAIR DE CASA	○	AQUELA COISA	○
SE SENTIR BEM	○	TWEETS ENGRAÇADOS	○	SENTIDO DA VIDA	○

É SÓ PAPEL!
DOBRE ESTA PÁGINA
AO MEIO.

SE VOCÊ TIVESSE QUE USAR A MESMA ROUPA TODOS OS DIAS, QUAL SERIA? QUAL O SEU VISUAL ICÔNICO? DESCREVA OU DESENHE ABAIXO!

LIVROS FAVORITOS:

(COMPLETE AS LOMBADAS!)

DESENHE UMA AGULHA NO
MEIO DA PÁGINA. AGORA
DESENHE UM PALHEIRO.
TENTE NÃO PERDÊ-LA!

SEMPRE TEM MAIS
(ENCHA ESTA PÁGINA COM ASTERISCOS)

* * * * * * *

EI, FORTÃO! DESENHE
UMAS CAMISETAS,
DEPOIS CORTE AS MANGAS.

DIA NA PRAIA! IEEEEEEEEEEEEEEI! DESENHE TUDO DE QUE VOCÊ PRECISA:

QUEM ERA SEU MELHOR AMIGO NA INFÂNCIA? ISSO MUDOU? ONDE ELE ESTÁ AGORA?

COLE UMA MECHA DO SEU CABELO NESTA PÁGINA.
1 DIA VOCÊ PODE NÃO TER MAIS NENHUM!

＊

Lembra quando você escreveu uma carta para si mesmo seis meses atrás? Volte e encontre!

É SÓ PAPEL!
ESCREVA "CUIDADO" REPETIDAMENTE,
DEPOIS FAÇA A PÁGINA EM
PEDACINHOS E JOGUE-OS AO VENTO.

"Esta é a minha página de coisas"

EI!

COMO
ESTÃO AS
COISAS?

ISTO É O QUE VOCÊ DIZ QUE É

PREENCHA ESSE ESPAÇO
COM HÁBITOS RUINS,
DEPOIS SE LIVRE DELES!

NÃO PRESTE MUITA ATENÇÃO À
VIDA PÚBLICA EDITADA DOS OUTROS.
#NOFILTER

ESCREVA UMA MENSAGEM
QUE VOCÊ SIMPLESMENTE
NÃO PODE ENVIAR

LISTE <u>5</u> PESSOAS QUE VOCÊ CONHECIA E O QUE ACONTECEU:

1 _____

2 _____

3 _____

4 _____

5 _____

ESCREVA UMA CARTA PARA UM "AMIGO" DA INTERNET QUE VOCÊ NÃO CONHECE E NÃO SE LEMBRA DE TER ADICIONADO.

MANDE UMA FOTO DESTA PÁGINA PARA QUEBRAR O GELO.

FAÇA UM PLANO DE AÇÃO PARA LIDAR COM SUAS TAREFAS DESTA SEMANA:

OLHE PARA CIMA HOJE! PROCURE GRANDES RACHADURAS, FORROS E DETALHES DECORADOS. DESENHE OU DESCREVA OS SEUS FAVORITOS.

FAÇA UMA PLAYLIST
PARA CANTAR NO CHUVEIRO:

1. NATALIE IMBRUGLIA
   "TORN"

2.

3.

4.

5.

6.

7.

8.

1 coisa

Nenhuma coisa

Qualquer coisa

Alguma coisa

Todas as coisas

CHECKLIST DO ENCONTRO

- ☐ CHECAR O CABELO
- ☐ STALKEAR NA INTERNET
- ☐ 20h
- ☐ CAMISA NOVA
- ☐ 8h05
- ☐ HÁLITO FRESCO
- ☐ CHEGOU!
- ☐ MÃOS SUADAS
- ☐ MORDER O LÁBIO
- ☐ RIR ALTO
- ☐ FRIO NA BARRIGA

- ☐ FINGIR TIMIDEZ
- ☐ AMIGO EM COMUM
- ☐ CONVERSA FIADA
- ☐ RIR MAIS
- ☐ CONVERSA IMPORTANTE
- ☐ VAMOS DANÇAR
- ☐ MAIS BEBIDAS
- ☐ PRIMEIRO BEIJO!!
- ☐ LÁ EM CASA?
- ☐ VAMOS ESPERAR
- ☐ MENSAGEM PARA AMIGO

ME CONTE UMA COISA MUITO ENGRAÇADA QUE ACONTECEU:

* Ha-ha-ha, ah, cara. O.k. Ufa. Me dá um minuto. Me conte uma coisa tediosa enquanto eu tento parar de rir.

UAU,
TODO MUNDO
AMA O SEU
POST!

75.631 NOTES

É SÓ PAPEL! DESENHE
UMA PAREDE DE TIJOLOS.
CONSTRUA, DEPOIS DESTRUA.

Se você não quis destruir sua parede também não tem problema. Talvez você possa deixar sua parede se desfazer no seu próprio ritmo, tijolo por tijolo.

ME CONTE SOBRE O SEU DIA!

QUAL FOI O MELHOR CONSELHO QUE VOCÊ JÁ RECEBEU?

QUAL FOI O PRIMEIRO FUNERAL A QUE VOCÊ FOI? VOCÊ ACHA QUE VAI FICANDO MAIS FÁCIL? COMO VOCÊ HONRA E ESTIMA UM ENTE QUERIDO?

LISTE 10 COISAS QUE VOCÊ AMA FAZER:

1 _____

2 _____

3 _____

4 _____

5 _____

6 _____

7 _____

8 _____

9 _____

10 _____

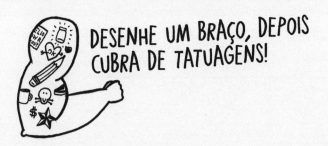

ESTAMOS TODOS CONECTADOS
(ENCHA A PÁGINA COM SINAIS DE WI-FI)

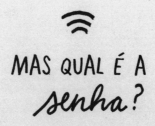

MAS QUAL É A *senha?*

Hoje vai ser um dia muito bom. ✳

IMAGINE O TRABALHO MAIS LEGAL DE TODOS, AÍ DESENHE O SEU CARTÃO DE VISITA!

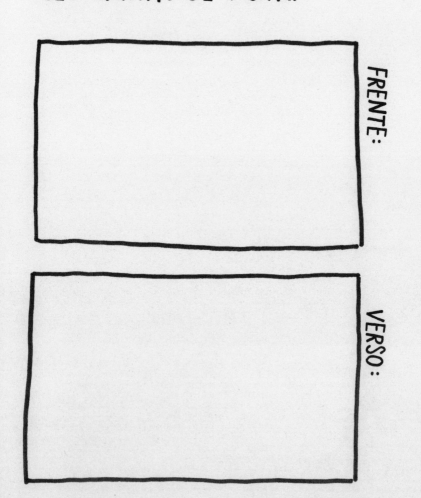

ESCREVA UMA HISTÓRIA CONSTRANGEDORA SOBRE SEU MELHOR AMIGO PARA QUE VOCÊ POSSA CONTÁ-LA DURANTE O BRINDE NO CASAMENTO DELE!

DESENHE A REFEIÇÃO PERFEITA, DEPOIS CUBRA O PRATO COM MOLHO DE PIMENTA!

EI!

ONDE
VOCÊ
ESTÁ?

QUEM ERA O CARA MAIS POPULAR
DA ESCOLA? COMO ELE ESTÁ AGORA?
PROCURE ESSA PESSOA E VEJA O
QUE ACONTECEU.

LITERALMENTE NADA

Vá em frente e xingue
em letra cursiva!

Como algo tão bonito pode
ser tão ofensivo, ~~porra~~?

DESENHE A COISA MAIS INÚTIL
QUE VOCÊ POSSA IMAGINAR, AÍ
AME-A PARA SEMPRE.

ESCREVA EM LETRAS BEM GRANDES

DESENHE A SI MESMO COMO UMA COLHER.
VOCÊ É GRANDE OU PEQUENA?

FUJA DE TUDO ISSO!
AONDE VOCÊ ESTÁ INDO?
QUAL SERÁ O SEU NOVO NOME?

> **COPIE A FRASE 20 VEZES OU ATÉ APRENDER A LIÇÃO!**

EU VOU ME LEMBRAR DISSO E RIR

ANOTE AS TENDÊNCIAS DE MODA NA SUA CIDADE HOJE. O QUE VOCÊ MAIS VIU? O QUE ERA ÚNICO?

FAÇA UMA PLAYLIST PARA NÃO FALAR:

1. BOARDS OF CANADA "ALPHA AND OMEGA"

2.

3.

4.

5.

6.

7.

8.

PLANOS DE VIAGEM: PLANEJE UMA VIAGEM DE CARRO. QUAIS 8 CIDADES VOCÊ VAI VISITAR?

ESTA SEMANA

- ☐ DORMIR CEDO
- ☐ ME SENTIR ÓTIMO
- ☐ O.K., SEGUINDO EM FRENTE

*Se dê de presente uma saída à noite!

USE ESTA PÁGINA PARA PLANEJAR
O RESTO DA SUA VIDA E OBRA.
BRINCADEIRINHA! QUAL É A SUA
CELEBRIDADE FAVORITA?

QUAIS OS PLANOS PARA HOJE?

SEM DINHEIRO? RECORTE OS DENTES ABAIXO E DEIXE-OS DEBAIXO DO SEU TRAVESSEIRO!

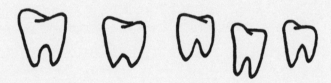

(DESENHE MAIS SE PRECISAR)

Como este livro já pode estar acabando? Parece que o tempo voou. Não me abandone! Vamos aproveitar essas últimas páginas juntos.

✳

ACORDE CEDO AMANHÃ PARA VER O SOL NASCER. QUEM MAIS ESTÁ DE PÉ? QUANDO FOI A ÚLTIMA VEZ QUE VOCÊ ACORDOU TÃO CEDO?

SE ALGUÉM NUNCA TIVESSE
SIDO APRESENTADO A VOCÊ
MAS O TIVESSE VISTO
ALGUMAS VEZES, COMO VOCÊ
ACHA QUE SERIA DESCRITO?

LISTE **8** PESSOAS COM QUEM VOCÊ ADORARIA JANTAR:

1. _____

2. _____

3. _____

4. _____

5. _____

6. _____

7. _____

8. _____

VOCÊ LEU ALGUM LIVRO BOM ULTIMAMENTE?

NÃO, QUAL É A DAQUELE LIVRO?
VOCÊ ACHA QUE OUTRO LIVRO
VAI CUIDAR DE VOCÊ COMO EU?
ME DEIXE ADIVINHAR: ELE TEM
NÚMEROS DE PÁGINA.

PLANEJE COM ANTECEDÊNCIA!

* Estou tentando continuar positivo, mas dizer adeus é sempre tão difícil.
Me anime, conte uma boa história de despedida com um final feliz!

DESENHE SEIS RELÓGIOS, UM DE CADA VEZ.

DÊ ESTA PÁGINA PARA UM AMIGO

ME SURPREENDA!

PEGUE UMA LEMBRANÇA DE UM ENCONTRO AMOROSO E COLE AQUI... MAS NÃO SEJA ESQUISITO!

MAND UMA MSG BEBDA:

AI MEU DEUS

VC TÁ MUITO BÊBADO?

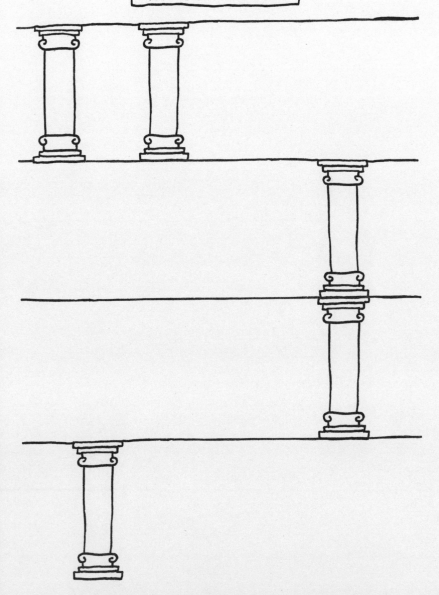

ESCREVA SEIS CONTOS DE SEIS PALAVRAS CADA:

* "Isso foi difícil até eu terminar."

RABISQUE ESTA PÁGINA INTEIRA COMIGO

Desenhe uma tabela. Qual o sentido disso tudo? Eu não sei, mas ligue os pontos e veja o que consegue!

*

VOCÊ ESTÁ O.K.

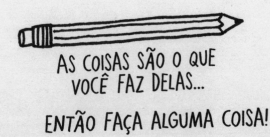

NECESSIDADES: | DESEJOS:

ESCREVA EM LETRAS BEM GRANDES

*
O que você mais ama sobre si mesmo?

CLIQUE DUPLO

PARA CURTIR
ESTA PÁGINA

1. DESENHE UMA BICICLETA
2. DESENHE UMA BICICLETA FEITA PARA DOIS
3. DESENHE UMA BICICLETA FEITA PARA ZERO

* *LEMBRE-SE DO QUE É IMPORTANTE PARA VOCÊ.*

VÁ AO SHOPPING. NÃO COMPRE NADA. O QUE VOCÊ MAIS QUERIA?

FAÇA UMA PLAYLIST DA MELHOR MÚSICA DE TODOS OS TEMPOS:

1. MARIAH CAREY
   "ALL I WANT FOR
     CHRISTMAS IS YOU"

~~2.~~ NENHUMA OUTRA MÚSICA

VÁ DEVAGAR

CHECKLIST DO INVERNO

- ☐ ANJO DE NEVE
- ☐ CHOCOLATE QUENTE
- ☐ CACHECOL QUENTINHO
- ☐ AQUECEDOR
- ☐ ÓCULOS EMBAÇADOS
- ☐ NUVEM DE RESPIRAÇÃO
- ☐ BONECO DE NEVE
- ☐ DEDOS GELADOS
- ☐ PATINAÇÃO NO GELO
- ☐ SOPA

- ☐ LAREIRA
- ☐ ABRACINHOS
- ☐ VIAGEM PARA ESQUIAR
- ☐ ESTALACTITES
- ☐ LIMPAR A NEVE DA ENTRADA
- ☐ IGLUS
- ☐ NEVE AMARELA
- ☐ MAIS CHOCOLATES QUENTES
- ☐ ROUPAS MOLHADAS
- ☐ MAIS SOPA

(ESTÁ TUDO BEM, EU TAMBÉM NÃO SEI O QUE ESTOU FAZENDO)

✱ Às vezes a vida é difícil e parece que nada está dando certo, mas sempre há o amanhã, sempre há outra chance. Falando sério.

É SÓ PAPEL!
LEMBRA QUANDO VOCÊ COLOU UMA NOTA DE R$5 NUMA PÁGINA? VÁ PROCURAR POR ELA *e dê para alguém!*

CHECK-IN TRIMESTRAL

PENSE NOS ÚLTIMOS 3 MESES E DÊ UMA NOTA A
SI MESMO DE ACORDO COM A ESCALA DE SMILEYS.

TÁ NA CARA > ☺ BOM ☺ MAIS OU MENOS ☹ RUIM

PERSPECTIVA GERAL ○	CRESCIMENTO PESSOAL ○	SAÚDE FÍSICA ○
PLANEJAMENTO PRÉVIO ○	CUIDAR DE VOCÊ MESMO ○	COMER BEM ○
HÁBITOS DE SONO ○	SER INCRÍVEL ○	SAÚDE MENTAL ○
CRIATIVIDADE DIÁRIA ○	BONDADE ○	LIGAR PARA CASA ○
TRABALHO DURO ○	SE DIVERTIR ○	SER UM BOM AMIGO ○
FICAR CALMO ○	SER ESFORÇADO ○	APROVEITAR SEU ESPAÇO ○
GANHAR DINHEIRO ○	SAIR DE CASA ○	AQUELA COISA ○
SE SENTIR BEM ○	TWEETS ENGRAÇADOS ○	SENTIDO DA VIDA ○

LIVRO DO ANO!
DESENHE COMO VOCÊ ERA
DURANTE O ENSINO MÉDIO E SE
DEFINA COM UM SUPERLATIVO.

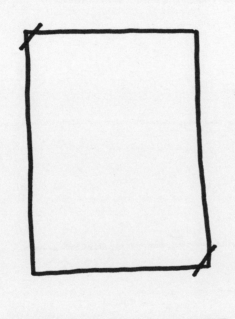

MAIOR CANDIDATO A:

LISTE 5 COISAS QUE VOCÊ QUER EXPERIMENTAR:

1 _____

2 _____

3 _____

4 _____

5 _____

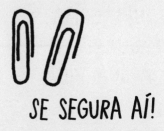

VOCÊ CONSEGUIU!

FOI UM LONGO ANO DESDE QUE VOCÊ ABRIU ESTE LIVRO PELA PRIMEIRA VEZ, MAS OLHE SÓ PARA NÓS. VOCÊ ESTÁ 1 ANO MAIS VELHO, E EU ESTOU REPLETO DAS SUAS EXPERIÊNCIAS, OBJETIVOS E MAIS.

EU NÃO SOU COMO COSTUMAVA SER. FAZENDO 1 PÁGINA DE CADA VEZ, NÓS DOIS CRESCEMOS. ENTÃO PEGUE UMA CANETA E RISQUE O NOME DAQUELE CARA NA CAPA. VOCÊ CONSEGUIU FAZER ISSO SOZINHO, E VAI CONTINUAR FAZENDO.

CRIE ALGUMA COISA, QUALQUER COISA, TODOS OS DIAS. REGISTRE E GUARDE E ADICIONE SEMPRE. ESTA É A SUA VIDA E VOCÊ CONSEGUIU.

É SÓ PAPEL!
CRUZE A LINHA DE CHEGADA
(COM O LÁPIS OU A CANETA).

RAPIDINHO! ANTES QUE VOCÊ VÁ:

QUAL FOI A COISA MAIS IMPORTANTE QUE VOCÊ APRENDEU ESTE ANO?

LISTE 5 MELHORES MOMENTOS:

1 _____

2 _____

3 _____

4 _____

5 _____

DESENHE VOCÊ MESMO 365 DIAS MAIS VELHO:

O QUE VOCÊ VAI FAZER AGORA?

#FF @ORESTODASUAVIDA

PREENCHA O ESPAÇO COM ALGUMA COISA INCRÍVEL

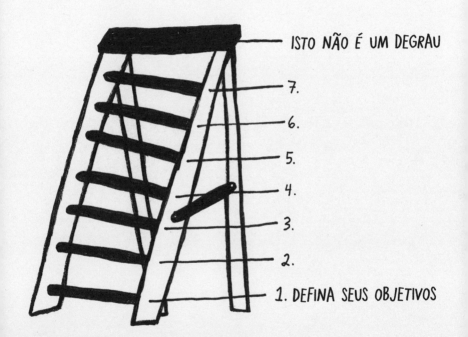

1. ESTE TRABALHO É MEU, MAS NÃO SERIA POSSÍVEL SEM UMA COMUNIDADE DE ARTISTAS E CRIADORES CUJA OBRA CRIATIVA É SEMELHANTE E AO MESMO TEMPO INSPIRADORA E ÚTIL.

2. AGRADEÇO A TODOS QUE ACREDITAM EM MIM, MESMO QUANDO NÃO SEI O QUE ESTOU FAZENDO. SOU GRATO A TODO MUNDO QUE JÁ AMOU ALGUMA COISA QUE EU FIZ, ME ESCREVEU OU APERTOU UM BOTÃO EM FORMATO DE CORAÇÃO.

3. EU CRIEI ESTE LIVRO DURANTE UM ANO DIFÍCIL. PODE PARECER IMPOSSÍVEL PASSAR POR 365 QUAISQUER COISAS, MAS ISTO É UM LEMBRETE PARA MIM MESMO. AGRADEÇO AOS MEUS AMIGOS, À MINHA FAMÍLIA E A MITCHELL KUGA, QUE É AS DUAS COISAS.

4. AGRADEÇO À CANTORA/COMPOSITORA MICHELLE BRANCH, QUE EU NÃO CONHEÇO PESSOALMENTE.

ADAM J. KURTZ É DESIGNER GRÁFICO, ARTISTA E UMA PESSOA SÉRIA. ELE SE PREOCUPA PRINCIPALMENTE COM CRIAR OBRAS HONESTAS E ACESSÍVEIS, INCLUINDO UMA VARIEDADE DE PEQUENOS PRODUTOS E A SÉRIE DE CALENDÁRIOS AUTOPUBLICADOS "UNSOLICITED ADVICE". ELE NÃO ESCREVEU MAIS NENHUM LIVRO.

ATUALMENTE MORA NA CIDADE DE NOVA YORK.

VISITE ADAMJK.COM, @ADAMJK, E JKJKJKJKJKJKJKJKJKJK.COM
(OU NÃO!)

*Foto de Ryan Pfluger